B+r 460

# Lilo Fromm

# Muffel and Plums

The Macmillan Company, New York, New York

J
F

1  2  3  4  5  6  7  8  9  10

## CONTENTS

# Morning

13

14

15

16

17

9

18

19

20

10

21

22

23

24

**11**

# The Mouse

11

12

13

15

# The Fish

3

4

5

6

22

23

24

25

26

27

19

# The Dog

3

4

21

5

6

22

7

8

23

9

10

24

17

18

26

19

20

# Ring Toss

4

5

9

10

11

12

13

14

15

16

17

# The Picnic

7

9

10

11

41

Town Dump

13

14

MAPLE INN

15

# The Geese

# Rainstorm

9

10

11

12

13

14

15

16

17

18

19

20

21

26

27

28

29

30

31

32

33

34

# Snow

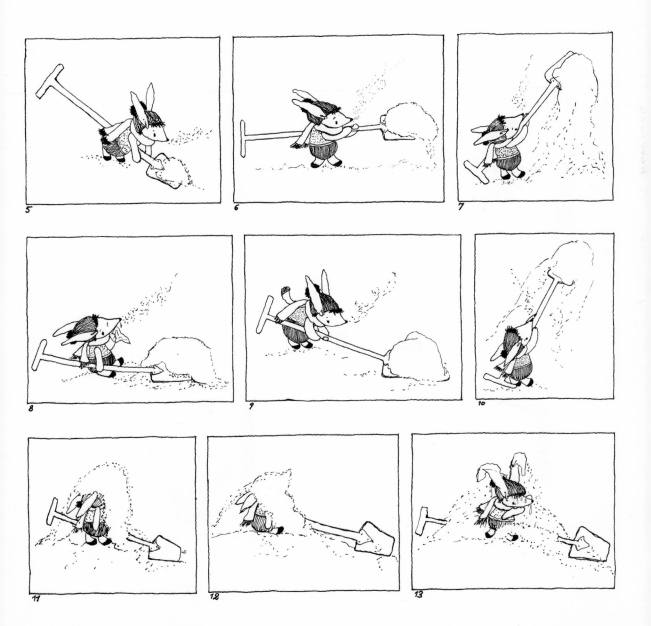

55

20

21

22

23

28

29

30

31

59

61

39

40

41

42

43

44

45

46

The End

110651

J
F

Fromm, Lilo
Muffel and Plums.